CW00401999

L_____

SÉDAR SENGHOR

De la négritude à la francophonie

Par Mylène Théliol

50MINUTES.fr

DEVENEZ INCOLLABLE
EN HISTOIRE !

Neil **Armstrong**

Le Titanic

George **Washington**

Christophe **Colomb**

Jacques **Cartier**

LÉOPOLD SÉDAR SENGHOR

INTRODUCTION

Léopold Sédar Senghor est un homme de lettres issu à la fois de la culture africaine et occidentale. Il a parcouru de bout en bout l'ensemble du xxe siècle, portant avec lui les frasques d'une histoire chaotique où lui-même a joué un rôle de première importance. Contemporain des empires coloniaux, des guerres mondiales, de la décolonisation et de l'avènement de la mondialisation, il a su mener de front simultanément deux carrières, celle de fonctionnaire et d'homme politique et celle de poète et d'écrivain. Cependant, Senghor s'est toujours vu avant tout comme un poète, et c'est à travers son œuvre littéraire qu'il mène un combat contre le colonialisme et l'assimilation forcée des Africains à l'Empire français. Le mouvement négritude, qu'il élabore avec Aimé Césaire (1913-2008) à partir de 1934 pour la reconnaissance de l'identité noire et de la culture africaine, le pousse à emprunter la voie politique.

Député du Sénégal sous domination française, puis ministre du général de Gaulle (homme d'État français, 1890-1970), Senghor symbolise la coopération entre la France et certaines de ses anciennes colonies africaines, ce que ses détracteurs lui reprocheront.

Élu cinq fois président du Sénégal indépendant, entre 1960 et 1980, il est l'artisan de la stabilité politique et économique de son pays malgré quelques heurts. Sa décision de se retirer volontairement du pouvoir en 1980 contribue à sa légende de grand chef d'État africain.

Toute sa vie durant, il sera un fervent défenseur de la langue française et militera pour qu'elle soit reconnue internationalement au travers de la francophonie, dont il est à l'origine. Léopold Sédar Senghor est un homme atypique qui a su imposer à son pays natal et à la communauté littéraire française sa vision d'une civilisation universelle basée sur le respect des différentes cultures.

DONNÉES CLÉS

- **Naissance ?** Le 9 octobre 1906 à Joal (Sénégal).
- **Mort ?** Le 20 décembre 2001 à Verson (France).
- **Carrière ?** Président de la république du Sénégal de 1960 à 1980.
- **Apports majeurs ?**
  - L'un des fondateurs du mouvement intellectuel anticolonial et pro-africain appelé la négritude.
  - Premier président de la république du Sénégal.
  - L'un des défenseurs et fondateurs de la francophonie.
  - Premier Africain à avoir siégé à l'Académie française.

LA VIE DE LÉOPOLD SÉDAR SENGHOR

LES ANNÉES DE FORMATION ENTRE AFRIQUE ET OCCIDENT

Léopold Sédar Senghor, né le 9 octobre 1906, est le fils d'un riche négociant sérère, Diogoye Basile Senghor, et de sa troisième femme, Gnilane Ndiémé. Bien que né à Joal, une des principales villes sérères, le petit Léopold passe les sept premières années de sa vie auprès de son oncle maternel Toko' Waly à Djilor, une petite bourgade où vit une grande communauté de Peuls.

LES SÉRÈRES

Les Sérères sont un des quatre groupes ethniques avec les Wolofs, les Peuls et les Toucouleurs à être présents au Sénégal. Ils peuplent une partie de la côte sur une longueur de 200 à 250 kilomètres, au sud de Dakar, et sont plus d'un million. Les Sérères sont principalement des agriculteurs et des pêcheurs. Deux caractéristiques culturelles les singularisent : ils sont matriarcaux et catholiques, alors que l'islam est la religion la plus pratiquée par les Sénégalais.

La petite enfance de Senghor est rurale. Il apprend, auprès de sa famille maternelle, le labeur pastoral, les traditions, les valeurs de courage, d'honneur et de fidélité ainsi que la connaissance et le respect ancestraux de la nature. Jusqu'en 1913, il vit dans un milieu fondamentalement animiste qui le marquera toute sa vie durant.

À huit ans, Léopold Sédar Senghor est rappelé par son père afin de parfaire son éducation au sein de la mission du Saint-Esprit de Ngazobil, à 6 kilomètres de Joal, où il apprend le catholicisme, de nouvelles langues (le français, le wolof et le latin) ainsi que les sciences naturelles. Sentant chez le jeune Senghor une prédisposition pour la prêtrise, les pères de la mission recommandent à Diogoye d'envoyer son fils au collège Libermann de Dakar afin de poursuivre ses études avant d'entrer au séminaire. Mais la prêtrise n'est finalement pas la voie choisie par le jeune Senghor. Après quatre années d'études à la mission, il rentre en 1926 aux cours secondaires de la rue Vincens de Dakar, et en ressort deux ans plus tard, avec son baccalauréat en poche et une bourse pour étudier les lettres classiques en France.

En septembre 1928, il intègre l'hypokhâgne du lycée Louis-le-Grand, à Paris, afin de préparer l'École normale supérieure (ENS). Au sein du lycée, il perfectionne ses connaissances en lettres et tente de trouver des parentés entre la culture occidentale et africaine. Durant ses années d'études supérieures, il se lie d'amitié avec Thierry Maulnier (1909-1988), Louis Achille (1909-1994), Robert Verdier (1910-2009), Paul Guth (1910-1997), Henri Queffelec (1910-1992), Georges Pompidou (1911-1974) et Aimé Césaire. À la suite de trois échecs au concours de l'ENS, il finit par passer l'agrégation de grammaire française en 1935 après s'être fait naturaliser français en 1933. Suite à sa réussite au concours d'agrégation, Léopold Sédar Senghor devient professeur de lettres et de grammaire au lycée Descartes à Tours (1935-1938) et suit les cours de linguistique négro-africaine de Lilias Homburger (1880-1969) à l'École pratique des hautes études, et ceux de Marcel Mauss (1872-1950), de Paul Rivet (1876-1958) et de Marcel Cohen (1884-1974) à l'Institut d'ethnologie de Paris.

LE MOUVEMENT NÉGRITUDE

En 1934, Léopold Sédar Senghor crée avec l'aide d'Aimé Césaire et du Guyanais Léon-Gontran Damas (1912-1978) la revue *L'Étudiant noir*. C'est dans ces pages qu'ils expriment pour la première fois leur contestation contre la domination coloniale et mettent ainsi en valeur la culture africaine. Ces notions sont introduites par Aimé Césaire, dans un texte intitulé « Négrerie » qui est publié par la revue en 1935. C'est au travers de celui-ci qu'il pose le concept de négritude qui apparaît dans *Présence africaine* en 1947 et est développé dans les œuvres poétiques d'Aimé Césaire et de Léopold Sédar Senghor, telles que *Chants d'ombre* (1945), *Hosties noires* (1948) et *Éthiopiques* (1961). La négritude est la reconnaissance du fait d'être Noir ainsi que celle de l'histoire et de la culture des Noirs.

L'ENTRÉE EN POLITIQUE (1945-1960)

Au lendemain de la Seconde Guerre mondiale (1939-1945), tout en continuant à exercer son métier de professeur de lettres puis de linguistique à l'École nationale de la France d'outre-mer (1948-1958), Senghor s'engage dans la carrière politique. Au cours d'un de ses voyages de recherche sur la poésie sérère au Sénégal, il fait la connaissance du leader des socialistes, Lamine Guèye (1891-1968), qui lui propose de se présenter à la députation. Après avoir parcouru le pays et mobilisé les différentes ethnies sénégalaises, Senghor est enfin élu député de la circonscription Sénégal-Mauritanie aux deux Assemblées constituantes successives (1945-1946), puis à l'Assemblée nationale française en 1946. Prônant l'association de l'Afrique avec la France et son émancipation aidée, il devient très populaire auprès des Sénégalais. En 1948, il fonde son propre parti, le Bloc démocratique sénégalais, qui est favorable à la mise en place d'une confédération des anciennes colonies françaises d'Afrique. Mais son projet est évincé au profit de la création de la Communauté de 1958, qui accorde l'indépendance à tous les pays africains. La fédération du Mali qu'il met sur pied se réduit à deux pays et finit par se désagréger un an plus tard. C'est ainsi qu'est proclamée la république du Sénégal en 1960, dont Senghor devient président.

LE PRÉSIDENT DU SÉNÉGAL (1960-1980)

Senghor partage d'abord le pouvoir avec son Premier ministre, Mamadou Dia (1910-2009), mais en 1962, il le fait arrêter pour tentative de coup d'État. Il dirige alors seul le pays. Le régime devient dès lors de plus en plus personnel, avec un seul parti politique en lice pour les élections. Mais, à la fin des années soixante, Senghor doit affronter l'agitation sociale qui l'oblige à mettre en place de nombreuses réformes ainsi qu'un régime plus démocratique. Il nomme un nouveau Premier ministre et oblige la fondation de deux autres partis politiques afin de créer un véritable pluralisme politique. En 1980, Senghor démissionne de son poste de président de la République en faveur de son Premier ministre Abdou Diouf (né en 1935). Il se retire en Normandie, où il se consacre entièrement à son œuvre littéraire et à la défense de la francophonie dont il est l'un des fondateurs. Il meurt en 2001.

CONTEXTE

LE SÉNÉGAL AU TEMPS DE L'AFRIQUE-OCCIDENTALE FRANÇAISE

Léopold Sédar Senghor naît en 1906 au Sénégal, qui fait partie, depuis 1895, de l'Afrique-Occidentale française. Cette fédération de pays rassemble, entre 1895 et 1958, la Mauritanie, le Sénégal, le Soudan français (devenu le Mali), la Guinée, la Côte d'Ivoire, le Niger, la Haute-Volta (devenue le Burkina Faso) et le Dahomey (devenu le Bénin). Cette colonie est administrée par la France grâce à l'intermédiaire d'agents résidant dans le pays. Dakar est la capitale de l'Afrique-Occidentale française depuis 1902, tandis que Saint-Louis demeure celle du Sénégal jusqu'en 1958. Le gouverneur général, installé à Dakar dispose d'un budget global pour gérer cette grande colonie qui est notamment alimenté par les recettes douanières perçues par chaque pays membre.

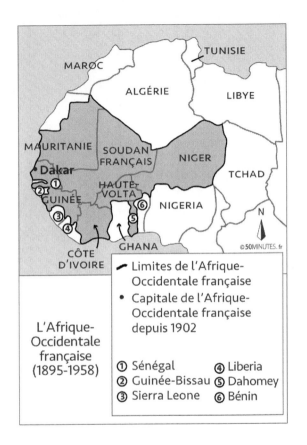

Limites de l'Afrique-Occidentale française

Capitale de l'Afrique-Occidentale française depuis 1902

L'Afrique-Occidentale française (1895-1958)

① Sénégal   ④ Liberia
② Guinée-Bissau   ⑤ Dahomey
③ Sierra Leone   ⑥ Bénin

Le Sénégal est divisé en quatre communes : Gorée, Saint-Louis, Dakar et Rufisque. Le pays, majoritairement islamique, est dominé par deux grandes confréries musulmanes : les mourides et la tidjaniya. L'autorité coloniale s'appuie sur celles-ci pour encadrer la population majoritairement paysanne. Seuls quelques missionnaires catholiques se sont installés dans les zones encore animistes où vivent notamment les Sérères et une partie des Peuls.

L'agriculture est le fer de lance de l'économie du Sénégal et, plus particulièrement, la culture de l'arachide dont le produit est exporté en métropole mais aussi à l'internationale. De ce fait, des lignes ferroviaires sont aménagées pour transporter les récoltes vers les principaux ports de la côte que sont Dakar et Saint-Louis, mais aussi Thiès, qui dessert les autres colonies de l'Afrique-Occidentale française. Le système colonial français fonctionne sur une inégalité raciale inscrite dans le Code de l'indigénat de 1887 : les autochtones sont des sujets français et, de ce fait, ils n'ont pas de droits politiques et sont soumis à un régime juridique plus répressif qui les assujettit au travail forcé et aux corvées pour l'aménagement d'équipements publics. La question de l'accès à la nationalité française pour les Africains fait débat au Sénégal dès le début xxe siècle, mais elle prend davantage de poids dans les années trente, au moment où le Sénégal est touché, lui aussi, par la crise économique de 1929. Des groupes urbanisés et éduqués se mobilisent pour l'égalité de statut, tandis qu'un mouvement nationaliste culturel prend forme et revendique le droit à la différence. Les années trente sont donc marquées par la crise et l'apparition de revendications aussi bien en Afrique-Occidentale française qu'en France.

LA FRANCE DES ANNÉES TRENTE

Lorsque Senghor séjourne en France, le pays est plongé dans les affres de la crise économique, conséquence du krach boursier de 1929, ce qui crée une instabilité gouvernementale récurrente jusqu'à la prise en main du pouvoir par le Front populaire (1936-1938), une coalition des partis politiques de gauche. Celui-ci met en place des réformes sociales importantes, grâce notamment aux accords de Matignon qui prévoient une hausse des salaires, la reconnaissance des droits syndicaux ainsi que la semaine de travail de 40 heures et deux semaines de congés payés.

Si la situation laisse entrevoir une amélioration en France, le climat politique européen est des plus inquiétants suite à la montée du nazisme en Allemagne, au confortement du fascisme en Italie et à la guerre qui fait rage en Espagne, ce qui contribue à fragiliser le Gouvernement.

Le Paris des années trente n'est donc plus celui des années folles, bien que survive encore un milieu intellectuel important dont les tendances politiques sont portées vers le communisme avec comme modèle l'URSS, qui apparaît comme le seul rempart contre le fascisme et l'impérialisme, ou au contraire vers les modèles allemand et italien favorisant une montée de l'antisémitisme. Senghor se rallie aux tendances de gauche en s'inscrivant dans la mouvance communiste et socialiste d'une émancipation des peuples à laquelle il fait prévaloir celle des Africains opprimés avec son concept de négritude.

LA SECONDE GUERRE MONDIALE ET SON IMPACT SUR LES COLONIES D'AFRIQUE FRANÇAISE

La Seconde Guerre mondiale débute le 1er septembre 1939, suite à l'invasion de la Pologne par l'Allemagne nazie et se termine le 2 septembre 1945, jour de la capitulation du Japon. D'abord confinée à l'Europe, elle se mondialise avec l'entrée en guerre, en 1941, de l'URSS, du Japon et des États-Unis.

Si la France déclare la guerre à l'Allemagne le 3 septembre 1939, soit deux jours après l'invasion de la Pologne par les troupes nazies, les combats n'atteindront son territoire que le 12 mai 1940. En à peine un mois, les troupes allemandes parviennent à atteindre Paris. Face à elles, les armées française et britannique, venues à sa rescousse, ne peuvent que reculer : c'est la débâcle. Le Gouvernement français démissionne le 16 juin, et le président Lebrun (1871-1950) appelle le maréchal Pétain (1856-1951) pour reprendre les rênes du pays. Celui-ci demande aussitôt l'armistice, qui est signé le 22 juin à Rethondes. Ce traité prévoit de scinder la France en deux zones : une zone occupée qui inclut le Nord-Est du pays, Paris, la Bretagne et une bande côtière allant jusqu'à la frontière espagnole passe sous la tutelle allemande ; et une zone libre qui correspond au reste du territoire et qui est administrée par le Gouvernement de Pétain installé à Vichy dès le 2 juillet, forcée d'entretenir et de collaborer avec les troupes allemandes. Ne pouvant accepter la collaboration avec l'envahisseur allemand, le général de Gaulle, membre depuis le 5 juin de l'ancien gouvernement et ayant rallié Londres le 17, proclame son refus de l'armistice et lance un appel à poursuivre la lutte aux côtés de l'Angleterre sur les ondes de la BBC. Son message est entendu par de nombreux intellectuels dont Senghor qui, après sa libération en 1942 du camp disciplinaire des Landes où il avait été incarcéré, participe à la résistance dans le cadre du Front national universitaire.

L'armistice de 1940 accorde au Gouvernement de Vichy qu'il conserve son empire colonial. En Afrique, notamment en Afrique-Occidentale française et au Maghreb, les dirigeants soutiennent majoritairement Pétain. Cependant, l'idéologie pétainiste symbolisée par un retour aux traditions ancestrales ne fait qu'exalter les identités indigènes, faisant ainsi se développer des mouvements nationalistes dans l'ensemble de l'empire colonial. En outre, les deux nouvelles grandes puissances que sont les États-Unis et l'URSS, alliés dans cette guerre avec la résistance française et la Grande-Bretagne, militent pour l'émancipation des peuples dont le principe est énoncé dans la charte de l'Atlantique datée d'août 1941. Face aux exigences de leurs alliés et aux contestations des autochtones quant à leur condition, le Gouvernement provisoire de la République française est contraint de mettre en place des réformes au sein de ses colonies, ce qui est annoncé le 30 janvier 1944 lors du discours de de Gaulle à Brazzaville (capitale de l'Afrique Équatoriale française et du Congo-Brazzaville).

TEMPS FORTS

UN COMBAT INTELLECTUEL CONTRE LA COLONISATION : LE MOUVEMENT NÉGRITUDE

Lorsque Léopold Sédar Senghor arrive à Paris en 1928, il découvre une ville florissante où les intellectuels et les artistes sont nombreux. Cependant, en tant que Noir venu d'Afrique française, il est considéré comme inférieur. En effet, la société française est imprégnée de sentiments colonialistes, racistes et paternalistes qui contribuent à véhiculer la vision des peuples noirs comme étant des enfants, voire des sauvages qu'il faut civiliser. En colère et révolté par cette oppression qu'il ressent quotidiennement, Senghor décide de combattre cet état de fait et se lie avec plusieurs jeunes intellectuels noirs rencontrés dans la capitale, tels que Léon Gontran Damas, Aimé Césaire, Léonard Sainville (1910-1977), Aristide Maugée (mort en 1967) et son compatriote sénégalais Birago Diop (1906-1989). Afin de formaliser leur opposition, ils s'appuient sur des auteurs et étudiants antillais qui sont déjà contestataires. Le Martiniquais René Maran (1887-1960) est le premier à ouvrir la voie en dénonçant dans son roman *Batouala*, qui obtient le prix Goncourt en 1921, les conditions de vie des colonisés.

En juin 1932, paraît à Paris une brochure intitulée « Légitime Défense », écrite par des étudiants martiniquais, qui dénonce aussi le système colonial. Ce manifeste circule rapidement dans les milieux intellectuels noirs parisiens et réveille les consciences des étudiants, les invitant à réfléchir à leur condition et celles de leurs frères d'Afrique. L'Association nationale pour le progrès des gens de couleur (NAACP), créée en 1909 aux États-Unis par W.E.B. Du Bois (1868-1963) et dont le but est d'assurer l'égalité des droits de tous les citoyens et d'éliminer la haine et la discrimination raciales, est aussi une des sources qui pousse les jeunes intellectuels noirs à mettre en place un mouvement de revendication qui s'organise autour des deux grands poètes, Léopold Sédar Senghor et Aimé Césaire. Cette contestation prend la forme d'une revue, *L'Étudiant noir*, publiée entre 1934 et 1940, dont l'objectif défini par Léon Gontran Damas (1912-1978) est de supprimer la division tribale des étudiants pour les regrouper sous une même étiquette, celle de l'étudiant noir. Dans cette revue, se précise déjà le concept de négritude dont la création, en 1936, revient à Aimé Césaire.

> « La Négritude est la simple reconnaissance du fait d'être Noir, et l'acceptation de ce fait, de notre destin de Noir, de notre histoire et de notre culture. »
>
> (SÉDAR SENGHOR (Léopold), *Liberté III*, Paris, Seuil, 1977, p. 269-270)

Le concept est ensuite développé dans l'ouvrage d'Aimé Césaire intitulé *Cahier d'un retour au pays natal* (1939) et dans les œuvres poétiques de Senghor, *Chants d'ombre* (1945), *Hosties noires* (1948) et *Éthiopiques* (1961). Les poèmes de ce dernier sont essentiellement symbolistes et s'inspirent des rythmes traditionnels africains. L'auteur puise également dans ses propres racines familiales et son vécu. Les premières œuvres sont ancrées dans le concept de négritude avec pour thèmes la souffrance, la ségrégation, l'appel à la révolte, le rejet de l'assimilation à l'empire et de l'exaltation de l'Afrique précoloniale. Mais, à partir de la fin des années soixante, les poèmes portent en eux l'espoir de créer une civilisation de l'universel qui fédérerait les cultures par-delà leurs différences.

En 1948, la publication par Senghor de l'*Anthologie de la nouvelle poésie nègre et malgache de langue française*, précédée d'*Orphée noir* de Jean-Paul Sartre (1905-1980), marque l'apogée du mouvement, qui est à la fois la revendication d'une manière d'être original, l'instrument de lutte et un outil esthétique. Ce mouvement acquiert de l'importance, notamment à partir de 1947, avec la publication de la revue *Présence africaine*, placée sous l'égide de grands auteurs français comme André Gide (1868-1951), Jean-Paul Sartre et Albert Camus (1913-1960), d'ethnologues reconnus comme Théodore Monod (1902-2000) et de Michel Leiris (1901-1990), ainsi que de Senghor et de Césaire. L'objectif de cette revue est de mettre en valeur les intellectuels noirs dans tous les domaines, et de leur permettre de faire entendre leurs idées dans les débats de l'époque.

Toutefois, dès 1960, le mouvement négritude se heurte à des réticences formulées par certains Africains. La nouvelle génération d'auteurs, tels que le Nigérian Wole Soyinka (né en 1934) et le Malien Yambo Ouologuem (né en 1940), lui reproche en effet de trop s'ancrer dans les valeurs raciales, de se complaire dans les mythes africains et de ne pas s'engager dans le combat révolutionnaire, social et politique. Suite à ces attaques, Senghor réaffirme lors du colloque sur la négritude, qui s'est tenu à Dakar en 1971, la supériorité de l'identité noire sur l'idéologie politique afin d'aboutir à la construction d'une civilisation universelle où chacun pourra apporter sa contribution.

UNE ACTION POLITIQUE POUR L'ÉMANCIPATION DES ÉTATS AFRICAINS

L'entrée en politique de Léopold Sédar Senghor se fait lentement, grâce à un enchaînement hasardeux de rencontres et de promotions liées à son statut de professeur. En 1944, il est nommé à la chaire de linguistique de l'École nationale de la France d'outre-mer. C'est aussi à la même époque qu'il publie La Communauté impériale française, un ouvrage dont l'idée principale est celle d'une association et d'une collaboration entre la France et les peuples de ses colonies afin que ces derniers puissent devenir libres tout en restant liés à la métropole. Ce livre fait écho au discours de Brazzaville du 30 janvier 1944 tenu par le général Charles de Gaulle qui annonce l'émancipation des colonies après avoir intégré les colonisés dans la gestion de leur propre pays. Senghor est alors appelé à participer aux travaux de la commission Monnerville (1945), chargée de traduire les idées du discours de Brazzaville et de définir la représentation des colonies dans la future Assemblée constituante. Le premier projet ne prévoit toutefois que des changements pour la Tunisie et le Maroc, tandis que l'Afrique noire reste sous domination française. Cela révolte Senghor qui décide de s'engager davantage en politique afin de faire valoir le droit à l'émancipation des Africains.

De retour au Sénégal pour y approfondir ses travaux sur la poésie sérère, il fait la connaissance du chef de file local des socialistes, Lamine Guèye, qui lui propose de se présenter comme député à l'Assemblée constituante. Élu pour la circonscription Sénégal-Mauritanie aux deux Assemblées constituantes successives (1945-1946), il est élu à l'Assemblée nationale française (1946). La même année, il se marie avec Ginette Éboué (1923-1992), fille de l'ancien gouverneur de l'Afrique-Équatoriale française, Félix Éboué (1884-1944). De cette union naîtront deux fils, Francis-Arphang (né en 1947) et Guy Wali (1948-1983).

Senghor n'est pas seul à siéger au palais Bourbon. Dix autres députés d'Afrique sont aussi présents comme l'Ivoirien Félix Houphouët-Boigny (1905-1993), le Nigérien Fily Dabo Sissoko (1900-1964), Gabriel d'Arboussier (1908-1976) et Jean-Félix Tchicaya (1903-1961) qui représentent respectivement le Gabon et le Congo. Ensemble, ils font front afin d'améliorer le sort des peuples colonisés et d'obtenir les mêmes droits que les citoyens français. Certaines de leurs revendications sont traduites sous forme de lois, comme l'abolition du travail forcé et les principales caractéristiques du statut de l'indigénat (loi du 7 avril 1946).

Cependant les réformes en faveur des colonisés restent timides, ce qui pousse la plupart des représentants politiques d'Afrique à engager un combat unitaire dans le cadre du Rassemblement démocratique africain (RDA), dirigé par Félix Houphouët-Boigny, dont l'objectif est de mettre en place l'égalité des droits et des devoirs entre les peuples d'Afrique et les Français, tout en restant associé à la France. Bien que les idées soutenues par la RDA soient celles de Senghor, ce dernier ne se rallie pas au mouvement, préférant suivre les volontés de la Section française de l'Internationale ouvrière (SFIO) qui redoute le soutien trop appuyé du Parti communiste à ce mouvement panafricain. Mais Senghor quitte bien vite la SFIO pour créer son propre parti avec Mamadou Dia, le Bloc démocratique sénégalais (BDS), en 1948. Aux élections de 1951, le BDS l'emporte largement sur la SFIO, et Senghor est réélu député dans le groupe des Indépendants d'outre-mer.

Entre 1955 et 1956, il devient secrétaire d'État à la présidence du Conseil dans le cabinet d'Edgar Faure (1908-1988). Il sert notamment de négociateur entre les Français et les indépendantistes tunisiens et marocains, tout en soutenant la politique algérienne de la France.

Cependant, Senghor refuse toujours de parler d'indépendance pour l'Afrique noire, préférant l'idée d'une confédération entre la France et les nations africaines de l'Ouest. Mais cet espoir est ruiné par la loi-cadre Defferre de 1956, qui délègue des pouvoirs considérables aux colonies. En 1958, de Gaulle décide d'accélérer les choses en mettant en place la Communauté qui prévoit l'autonomie des États africains au sein d'une fédération dans laquelle la France gardera un rôle prépondérant. Les pays qui refusent d'adhérer à la Communauté obtiennent systématiquement leur indépendance. Senghor n'a donc d'autre choix que de choisir la Communauté, mais il conserve son rêve de voir naître une fédération ouest-africaine incluant le Mali (ancien Soudan français), la Haute-Volta et le Dahomey. Dès mars 1959, la Haute-Volta et le Dahomey quittent la fédération. Le 17 janvier 1960, Senghor prend la présidence de l'Assemblée fédérale des deux dernières composantes, tandis que le Soudanais Modibo Keita (1915-1977) en assure la présidence. Mais les dissensions entre les deux protagonistes font éclater la fédération. Le 20 août 1960, le Sénégal proclame son indépendance. Senghor est élu président le 2 septembre, tandis que, le

22 septembre, la république du Soudan devient le Mali.

LA PRÉSIDENCE DU SÉNÉGAL : L'INSTAURATION DE LA DÉMOCRATIE

La constitution du nouvel État sénégalais s'inspire de celle de la IVe République à laquelle Senghor a participé. On voit donc apparaître les fonctions de président, chargé d'incarner le pays et de le représenter à l'extérieur, et de chef de Gouvernement, poste confié à Mamadou Dia, qui gère les affaires intérieures et économiques. Mais le conflit couve entre le Premier ministre et le président. Dia est socialiste, il mène un combat contre la corruption administrative du pays, mais, surtout, il s'oppose aux deux puissantes confréries musulmanes sénégalaises afin de limiter leur influence sur la population. Cette question de l'encadrement de la population est un point de divergence entre les deux grands hommes de l'État et pousse Senghor à éliminer son Premier ministre. En décembre 1962, Mamadou Dia est arrêté, accusé d'avoir tenté un coup d'État, et est condamné à la prison à vie.

Senghor assume dès lors seul le pouvoir exécutif avec la mise en place d'un régime présidentiel que consacre la nouvelle Constitution de 1963. Après la proclamation de celle-ci, il est réélu pour un second mandat présidentiel. Son parti, l'Union progressiste sénégalaise (UPS, qui est une refonte du BDS), est le seul représenté à l'Assemblée législative, les trois autres partis politiques ayant été interdits afin d'éviter toute tentation d'un autre coup d'État. Senghor mène alors une politique socialiste visant à développer le Sénégal. Il confie l'économie du pays aux mains d'experts français, qui encouragent les entreprises métropolitaines à investir au Sénégal. Parallèlement au développement économique du pays, Senghor s'engage dans une politique culturelle active basée sur le concept de négritude avec la création du ministère de la Culture en 1966, année durant laquelle se réunissent des artistes provenant de toute l'Afrique lors du premier festival mondial des arts nègres à Dakar (avril 1966). En matière d'éducation, Senghor africanise progressivement l'université de Dakar, ainsi que les cours primaires et secondaires en introduisant parallèlement au français des langues nationales comme le wolof, le peul ou le sérère.

Le 25 février 1968, Senghor est réélu comme président, mais, au mois de mai, il doit faire face à d'importants troubles sociaux et à une forte agitation étudiante, ce qui le pousse à fermer l'université de Dakar en 1969. Sentant que l'opinion populaire est contre lui, Senghor se décide à libéraliser le régime : en 1970, il rétablit la fonction de Premier ministre qui est toutefois nommé par le chef de l'État. Il la confie à un jeune technocrate intègre, Abdou Diouf. Si le président conserve ses pouvoirs, l'Assemblée peut désormais voter une motion de censure à son égard.

Réélu en 1973, Senghor gracie l'année suivante les prisonniers politiques, dont Mamadou Dia. En 1976, tandis que l'Union progressiste sénégalaise présidentielle devient le Parti socialiste sénégalais (PSS), le tripartisme est inscrit dans la Constitution, ce qui mène à la création du Parti démocratique sénégalais (PDS) d'Abdoulaye Wade (né en 1926) et du Parti africain de l'indépendance marxiste-léniniste (PAI) de Majhemout Diop (1922-2007), auxquels vient s'ajouter, en 1978, le Mouvement républicain sénégalais (MRS) de Boubacar Guèye (1913-1989). La même année, le PSS remporte les élections avec 82 % des suffrages, et Senghor entame son cinquième mandat en tant que président de la république du Sénégal. Cependant, usé par vingt ans d'exercice du pouvoir, il présente sa démission le 31 décembre 1980 en faveur de son Premier ministre Abdou Diouf qui devient président, le 1er janvier 1981.

Senghor abandonne alors la politique pour se consacrer uniquement à son œuvre littéraire, qu'il n'a jamais délaissée malgré ses responsabilités de chef d'État, et à la défense d'une culture francophone universelle.

SENGHOR ET LA FRANCOPHONIE

Léopold Sédar Senghor, de par son éducation et ses études, est un fervent défenseur de la langue française. Ses œuvres, toutes écrites dans la langue de Molière, reflètent sa passion pour elle. Le 29 mars 1984, il est d'ailleurs élu membre de l'Académie française et devient de ce fait le premier Africain à y siéger.

La défense de la langue française dans les pays africains est pour Senghor un outil permettant la création d'une civilisation universelle et d'un métissage culturel. Cet argument, il le développe lors de sa contribution à un numéro spécial de la revue *Esprit* de 1962 intitulé « Le Français dans le monde ». Dans la conclusion de son article « Le français, langue de culture », Senghor annonce déjà sa pensée concernant la francophonie :

> « La Francophonie, c'est cet Humanisme intégral, qui se tisse autour de la terre : cette symbiose "des énergies dormantes" de tous les continents, de toutes les races, qui se réveillent à leur chaleur complémentaire. »
>
> (SÉDAR SENGHOR (Léopold), « Le français, langue de culture », in *Esprit*, novembre 1962, p. 844)

Dès 1962, le combat pour la francophonie devient son fer de lance. Aussi, en juillet 1966, lors de la réunion de l'Organisation commune africaine et malgache (OCAM), à Tananarive, il présente un projet de communauté francophone et suggère, pour commencer, des rencontres périodiques des ministres de l'Éducation, ainsi que la création d'un Conseil africain de l'enseignement supérieur (CAMES) comprenant les États de l'OCAM et les autres États francophones, intéressés comme la France. En septembre 1966, Senghor met en place à l'université Laval au Québec les bases de la future Agence de coopération culturelle et technique (ACCT) qui est inaugurée le 20 mars 1970 à Niamey. 21 États et Gouvernements signent la Convention portant sur la création de l'ACCT dont l'objectif est le partage d'une langue commune, le français, chargée de promouvoir et de diffuser les cultures de ses membres et d'intensifier la coopération culturelle et technique entre eux. Le projet francophone ne cesse d'évoluer depuis cette création. Cette dernière devient l'Agence intergouvernementale de la francophonie en 1998.

RÉPERCUSSIONS

LE SÉNÉGAL EN PROIE À LA CRISE

Suite à la démission de Léopold Sédar Senghor, le 31 décembre 1980, c'est son Premier ministre, Abou Diouf, qui prend les rênes du Sénégal. Durant les deux décennies qu'il passe au pouvoir, celui-ci tente de poursuivre les réformes libérales engagées par Senghor. Avec le soutien de son parti politique le PSS, il autorise le multipartisme et la liberté de la presse.

Sa présidence est marquée par deux problèmes majeurs : la crise économique et les mouvements indépendantistes qui ébranlent la région de Casamance. L'économie sénégalaise est affaiblie à cause de la crise de la filière arachidière et de la montée du chômage dans les villes. Durant les années quatre-vingt, l'État connaît une situation budgétaire dramatique qui oblige les institutions financières internationales à prendre des mesures d'austérité budgétaire, ce qui a un impact direct sur les services publics sénégalais en matière de transport, d'éducation et de santé. En 1994, sous la pression du Fonds monétaire international (FMI) et de la France, le franc CFA, monnaie du Sénégal et d'une grande partie des pays de l'Ouest africain, est dévalué de 50 %. Parallèlement à cette crise économique majeure, Abou Diouf doit faire face aux mouvements séparatistes de Casamance qui, à partir de 1982, s'arment afin de gagner leur indépendance par des combats contre l'armée sénégalaise dont le plus meurtrier est celui de Bissau en 1998. La continuité directe de l'action de Senghor s'estompe avec l'arrivée au pouvoir d'Abdoulaye Wade, dirigeant du PDS, qui devient président de la république du Sénégal en 2001, et qui change la Constitution sans pour autant porter atteinte à la démocratie et au système présidentiel chers à Senghor.

LA FIN DE LA NÉGRITUDE

Le mouvement négritude, élaboré par Senghor et Césaire, n'est pas poursuivi après le décès de ses fondateurs, bien qu'il ait joué un rôle dans l'émergence du nationalisme noir en Afrique. Et pour cause : cette notion est très contestée par les intellectuels noirs anglophones tels que le Sud-Africain Ezechiel Mphalele (1919-2008), les Nigérians Chinua Achebe (1930-2013), Wole Soyinka, John Pepper Clark (né en 1935). Cette notion est selon eux doublement dangereuse, de par son caractère racial manichéiste qui vise à opposer les Noirs et les Blancs, et de par sa dimension romantique et subjective faisant de l'Afrique traditionnelle un symbole utopique d'innocence et de pureté. En outre, le mouvement ne tient pas compte de la diversité culturelle de l'Afrique. Il s'essouffle donc au profit d'une littérature réaliste avec le développement du roman réaliste.

L'ESSOR DE LA FRANCOPHONIE

La francophonie que Senghor a défendue jusqu'à sa mort perdure après lui. L'Agence intergouvernementale de la francophonie est devenue, en 2008, l'Organisation internationale de la francophonie (OIF). Elle regroupe 54 pays et gouvernements qui sont membres de plein droit, ainsi que 3 membres associés et 23 observateurs. La francophonie s'étend maintenant au-delà des frontières géolinguistiques du français. L'OIF recense environ 274 millions de francophones, ce qui fait du français la cinquième langue la plus parlée dans le monde. Comme la francophonie défend l'idée que le français est une langue de partage qui doit s'épanouir avec la mondialisation et donc prendre en compte la diversité culturelle, elle s'engage à maintenir la paix et les droits de l'homme dans le monde.

EN RÉSUMÉ

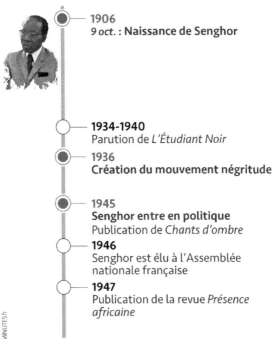

1906
9 oct. : **Naissance de Senghor**

1934-1940
Parution de *L'Étudiant Noir*

1936
Création du mouvement négritude

1945
Senghor entre en politique
Publication de *Chants d'ombre*

1946
Senghor est élu à l'Assemblée
nationale française

1947
Publication de la revue *Présence
africaine*

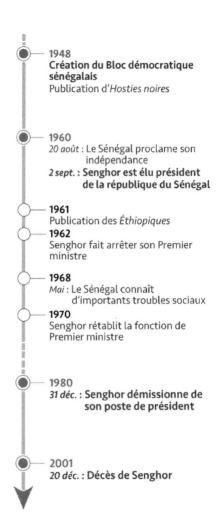

1948
Création du Bloc démocratique sénégalais
Publication d'*Hosties noires*

1960
20 août : Le Sénégal proclame son indépendance
2 sept. **: Senghor est élu président de la république du Sénégal**

1961
Publication des *Éthiopiques*

1962
Senghor fait arrêter son Premier ministre

1968
Mai : Le Sénégal connaît d'importants troubles sociaux

1970
Senghor rétablit la fonction de Premier ministre

1980
31 déc. **: Senghor démissionne de son poste de président**

2001
20 déc. **: Décès de Senghor**

- Né en 1906 à Joal, Senghor passe sa petite enfance à Djilor auprès de son oncle maternel, où il apprend les us et coutumes des Peules ainsi que leurs croyances animistes.
- À partir de 1913, le jeune Senghor est envoyé à la mission des pères du Saint-Esprit de Ngazobil, puis au collège Libermann de Dakar pour devenir séminariste. Mais la prêtrise se révèle n'être pas faite pour lui, et, après deux ans d'étude aux cours secondaires de Dakar, il en ressort, en 1928, avec son baccalauréat et une bourse pour étudier les lettres à Paris.
- Là-bas, il suit les cours d'hypokhâgne au lycée Louis-le-Grand afin de rentrer à l'ENS. Lors de ses études, il se lie d'amitié avec Georges Pompidou et Aimé Césaire.
- En 1935, ayant raté les examens d'entrée de l'ENS à plusieurs reprises, il décide de passer l'agrégation de grammaire française, qu'il réussit. Cela lui permet d'enseigner les lettres à Tours entre 1935 et 1938.
- À partir de 1934, Senghor et Césaire participent à un mouvement contre le colonialisme qui revendique les spécificités de l'identité et de la culture noire et africaine, à travers la revue *L'Étudiant noir* (1934-1940) puis de *Présence*

africaine (revue créée en 1947). C'est dans ces pages que le concept de négritude prend forme et se développe grâce à leurs œuvres poétiques respectives.

- De la revendication intellectuelle, Senghor passe à la politique suite à son élection en tant que député du Sénégal aux Assemblées constituantes de 1945 et 1946, puis de député à l'Assemblée nationale en 1946. Avec ses confrères des autres colonies africaines, il prône l'émancipation et l'autonomie des pays d'Afrique, mais souhaiterait tout de même garder des liens avec la France. Mais les timides réformes accordées aux colonies ne font qu'accroître les dissensions entre les représentants africains et la métropole. Ces derniers se radicalisent et, sous la houlette de Félix Houphouët-Boigny, s'unissent dans un parti politique, le Rassemblement démocratique africain (RDA). D'abord en accord avec les idées d'association avec la métropole, le parti s'engage très vite dans la lutte pour l'indépendance totale des pays africains.

- Senghor, de son côté, ne participe pas à la RDA. Il préfère fonder son propre parti en 1948, le Bloc démocratique sénégalais (BDS), et poursuit son rêve de créer une confédération entre les pays d'Afrique de l'Ouest et la France. Mais son projet est remis en question par la loi-cadre de 1956 et par la mise en place de la Communauté, en 1958, par le général de Gaulle.

- En 1958, il essaie encore de former une fédération entre le Soudan français, le Dahomey, la Haute-Volta et le Sénégal, mais il déchante très vite, car le Dahomey et la Haute-Volta font scission en 1959, suivis par le Soudan un an plus tard. Le Sénégal devient donc indépendant le 2 septembre 1960, de même que le Soudan le 22 septembre qui prend le nom de Mali.

- Entre 1960 et 1980, Léopold Sédar Senghor gère le Sénégal d'une main ferme et sûre. Élu cinq fois de suite président de la République, il mène une politique visant à garantir une économie florissante au pays, tout en concrétisant son concept de négritude en mettant à l'honneur l'identité et la culture sénégalaise dans tous les domaines.

- Le long mandat de Senghor est parsemé de heurts, notamment en 1962, alors qu'il fait emprisonner son Premier ministre, Mamadou Dia, l'accusant de fomenter un coup d'État contre lui. À partir de cette année-là, le régime se durcit et Senghor dirige seul le pays avec son parti politique. Il faut attendre les contestations sociales et estudiantines de 1968 pour que le président s'engage dans une libéralisation du régime, en favorisant la création d'un tripartisme en 1970 et en nommant un nouveau Premier ministre, Abdou Diouf. Ce dernier lui succède à la présidence lorsque Senghor donne sa démission le 31 décembre 1980.

- La charge de président du Sénégal n'a pas empêché Senghor de continuer à écrire des poèmes et à se plonger dans la défense de la langue française et de la francophonie. Cette notion lui est chère, car elle constitue un pont entre les différentes cultures et favorise la création d'une civilisation universelle. Son combat pour l'essor de la francophonie aboutit avec la signature, le 20 mars 1970 à Niamey, de la convention créant l'Agence de coopération culturelle et technique dont l'objectif est le partage de la langue française, la promotion et la diffusion des cultures des 21 membres signataires, ainsi que le développement de la coopération culturelle et technique entre eux.

- La consécration de son œuvre littéraire est établie lors de son élection le 29 mars 1984 en tant que membre de l'Académie française.

Votre avis nous intéresse !
Laissez un commentaire sur le site de votre
librairie en ligne et partagez vos coups de cœur sur
les réseaux sociaux !

POUR ALLER PLUS LOIN

SOURCES BIBLIOGRAPHIQUES

- BOURGES (Hervé), *Léopold Sédar Senghor. Lumière noire*, Paris, Mengès, 2006.
- DELAS (Daniel), *Léopold Sédar Senghor : le maître de langue*, Croissy-Beaubourg, Aden, 2007.
- DJIAN (Jean-Michel), *Léopold Sédar Senghor. Genèse d'un imaginaire francophone*, Gallimard, 2005.
- *Organisation internationale de la francophonie*, consulté le 6 juillet 2015. www.francophonie.org
- PROVENZANO (François), « La "Francophonie" : définition et usages », in *Quaderni*, n° 62, hiver 2006-2007, p. 93-102.
- « Sénégal », in *Encyclopædia Universalis*, consulté le 6 juillet 2015. www.universalis.fr/encyclopedie/senegal
- VAILLANT (Janet G.), *Vie de Léopold Sédar Senghor. Noir, Français et Africain*, Paris, Karthala, 2006.
- WESLEY (Johnson G.), *Naissance du Sénégal contemporain. Aux origines de la vie politique moderne (1900-1920)*, Paris, Karthala, 1991.

ŒUVRES DE LÉOPOLD SÉDAR SENGHOR

- « Le français, langue de culture », in *Esprit*, novembre 1962, p. 837-844.

- *Liberté I. Négritude et humanisme*, Paris, Seuil, 1964.

- *Liberté III. Négritude et civilisation de l'universel*, Paris, Seuil, 1977.

- *Liberté V. Le dialogue des cultures*, Paris, Seuil, 1993.

- *Œuvres poétiques*, Paris, Seuil, 2002. Cette édition contient *Chants d'ombre*, *Hosties noires*, *Éthiopiques*, *Nocturnes*, *Poèmes divers*, *Lettres d'hivernage*, *Élégies majeures*, *Poèmes perdus* et *Dialogues sur la poésie francophone*.

www.50minutes.fr

ISBN ebook : 978-2-8062-6668-2
ISBN papier : 978-2-8062-6669-9
Dépôt légal : D/2015/12603/289
Photo de couverture : *Léopold Sédar Senghor*, 1975 ©
Bibliothèque nationale de France, La photo repro-
duite est réputée libre de droits

Conception numérique : Primento,
le partenaire numérique des éditeurs

Printed in Great Britain
by Amazon